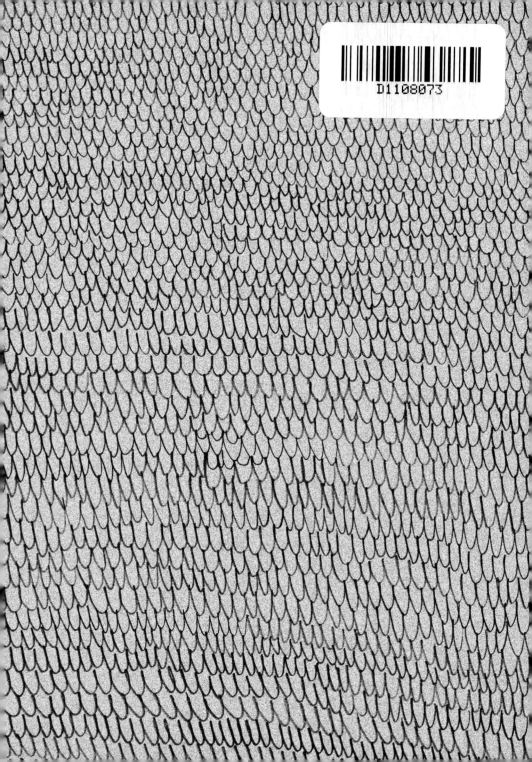

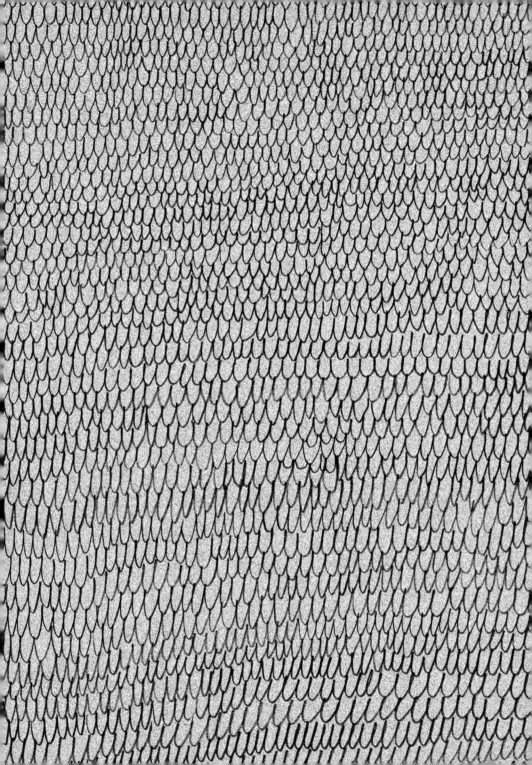

YO NO HICE MI TAREA PORQUE...

EDICIONES
TECOLOTE

Para Valentino y Ben,
de Davide.

Para Milo,
de Benjamin.

Primera edición en español: 2013
Título de la obra original, publicada por Chronicle Books:
I Didn't Do My Homework Because... © 2013

D.R. © de los textos:
Davide Cali

D.R. © de las ilustraciones:
Benjamin Chaud

D.R. © Ediciones Tecolote, S.A. de C.V.
General Juan Cano 180,
San Miguel Chapultepec,
México, D.F., 11850
5272 8085 /5272 8139
tecolote@edicionestecolote.com
www.edicionestecolote.com

Traducción:
Ma. Cristina Urrutia

Corrección:
José Manuel Mateo

Diseño:
Amy Yu Gray

ISBN: 978-607-7656-82-1

Impreso en China

YO NO
HICE
MI
TAREA
PORQUE...

Davide Cali Benjamin Chaud

EDICIONES
TECOLOTE

Un avión repleto de monos aterrizó en nuestro patio.

Un robot descontrolado destruyó nuestra casa.

Unos duendes escondieron todos mis lápices.

Me secuestraron unos extraterrestres.

Justo cuando empezaba a hacer mi tarea
nos atacaron los vikingos.

Unos reptiles gigantes invadieron mi barrio.

El doctor me recetó un jarabe para la tos,
que me causó un efecto extraño.

Mi tío y yo construimos una máquina con
tecnología de punta para hacer mi tarea, pero cuando
finalmente la terminamos, ¡no funcionó!

Un perro enorme se tragó a mi perro,
por lo que pasé toda la tarde con el veterinario.

Fui al funeral de mi gato.

Unos prófugos se escondieron en mi cuarto
y no se querían ir.

Un vecino retó a duelo a mi tío.

Mi abuelo y su banda de música hicieron
mucho ruido y no me pude concentrar.

Comenzó a nevar y tuve que
sacrificar todos mis cuadernos para calentarnos.

Encontramos un pingüino perdido
y lo llevamos al Polo Norte.

¡Pero los
pingüinos viven
en el Polo Sur!

¡Exacto! Cuando nos dimos cuenta de nuestro error,
tuvimos que regresar y llevarlo al otro Polo...

Un circo nos secuestró a mi hermano y a mí.

Mi familia descubrió petróleo en el patio de mi casa.

Le regalé mis lápices a Robin Hood.

Un famoso director de cine me pidió prestado
mi cuarto para filmar su última película.

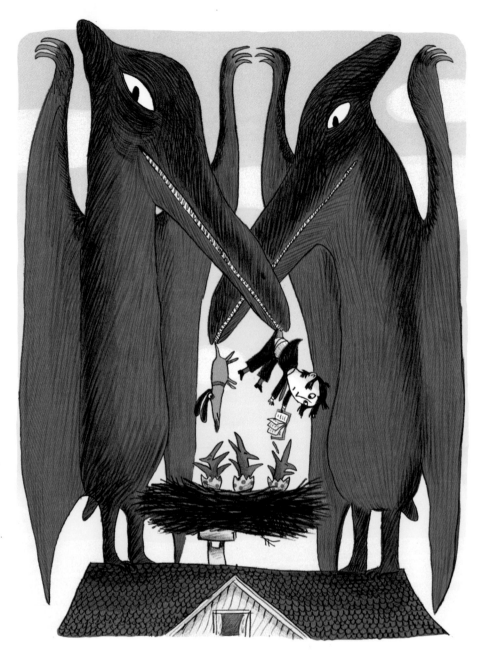

Unos pájaros extraños anidaron en mi techo.

Tuvimos un problema con unas plantas carnívoras.

De repente, desapareció nuestro techo.

Los vecinos me pidieron ayuda
para buscar sus armadillos.

El conejo de mi hermana mordisqueó
todos mis lápices y mis cuadernos.

Mi hermano volvió a tener su pequeño problema.

Un tornado se llevó todos mis libros.

Entonces... ¿por qué no me cree?

Ningún reptil gigante
invadió mi barrio.
Ningún reptil gigante
invadió mi barrio.
Ningún reptil gigante
invadió mi barrio.
Ningún reptil gigante
invadió mi barrio.
Ningún reptil gigante
invadió mi barrio.
Ningún reptil gigante
invadió mi barrio.
Ningún reptil gigante
invadió mi barrio.
Ningún reptil gigante
invadió mi barrio.

- Fin -

Davide Cali es autor, ilustrador y caricaturista. Ha publicado más de 40 libros, entre ellos, *I Can't Wait*, *The Bear and His Sword*, *Enemigo*, *Me gusta besarte*, *La reina de las ranas* y *Arturo*. Actualmente vive en París, Francia.

Benjamin Chaud ha ilustrado más de 60 libros. Es autor e iustrador de *The Bear's Song*. También ilustró la serie Pomelo. Hoy día vive en Die, Francia.

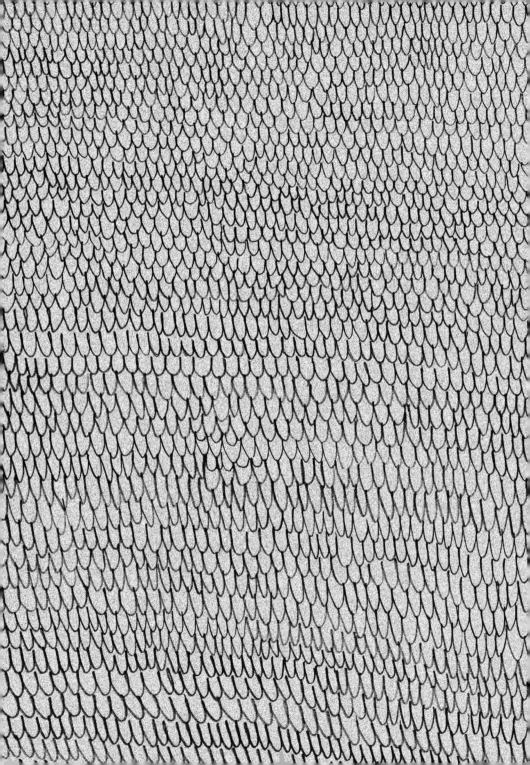

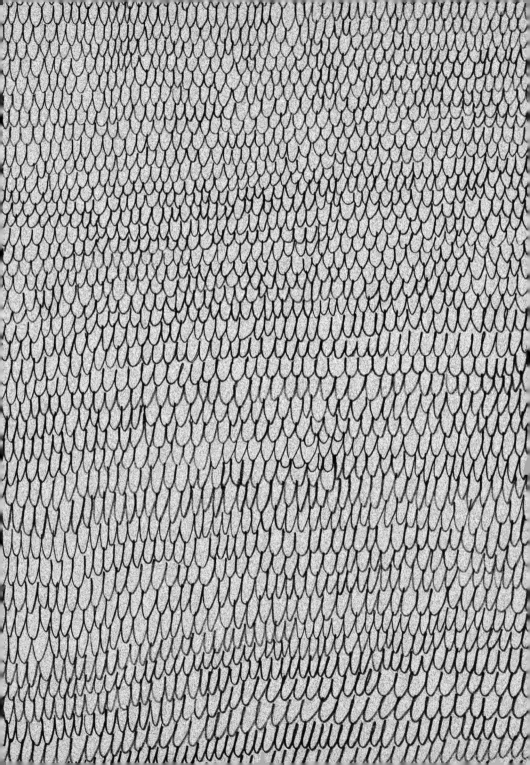